KALEIDOSCOPE
STICKER
Mosaics

Natural
WONDers

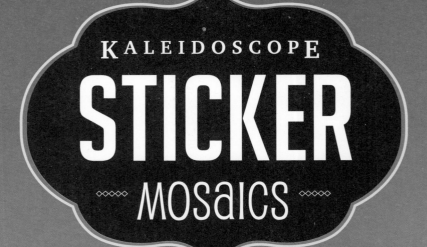

hinkler

A1 A2 A3 A4 A5 A6 A7 A8 A9 A10 A11 A12 A13

A14 A15 A16 A17 A18 A19 A20 A29 A30 A31

A21 A22 A23 A24 A25 A26 A32 A33

A28

A27

A

B

B1 B2 B3 B4 B5

B6 B7 B8 B9 B10 B11

B12 B13 B14 B15 B16 B17

B18 B19 B20 B21

B22 B23 B24 B25 B26 B27

B28 B29 B30 B31 B32 B33

B34 B35

C1 C2 C3 C4 C5 C6 C16 C17 C18 C19 C20

C7 C8 C9 C10 C11 C21 C22

C23 C24 C25 C26 C27 C28

C12 C13 C14 C15 C29 C30 C31 C32 C33 C34

C

D1 D2 D3 D4 D5 D6 D7

D8 D9 D10 D11 D12 D13

D14 D15 D16 D17 D18 D19 D20

D21 D22 D23 D24 D26 D27 D28 D29 D30 D31 D32

D25

D

D33 D34 D35 D36 D37 D38 D39 D40

A

A1 A2 A3 A4 A5 A6 A7
A8 A9 A10 A11 A12 A13 A14
A15 A16 A17 A18 A19 A20 A21 A22
A23
A24 A25 A26 A27 A28 A29 A30
A31 A32 A33 A34 A35 A36 A37 A38 A39
A40 A41 A42 A43 A44 A45 A46 A47 A48

B

B1 B2 B3 B4 B5 B6 B7 B8 B9 B10
B11 B12 B13 B14 B15 B16 B17 B18 B19 B20
B21 B22 B23 B25 B26 B27 B28 B29 B30 B31 B32
B24

C

C1 C2 C3 C4 C5 C6 C7 C8 C9
C10 C11 C12 C13 C14 C15 C16 C17 C18
C19 C20 C21 C22 C23 C24
C25 C26 C27 C28
C29 C30 C31 C32

D

D1 D2 D4 D5 D6 D7 D8 D9 D10 D11 D12 D13
D3
D14 D17 D18 D19 D20 D21 D22
D15 D16
D23 D24 D25 D26 D28 D29 D30 D31
D27
D32 D33 D34 D35 D36
D37 D38
D39 D40
D41 D42 D43

E

E1 E2 E3 E4 E5 E6 E7 E8 E9 E10
E11 E12 E13 E15 E14 E22
E21
E16 E17 E18 E19 E20 E23 E24 E25

A1 A2 A3 A4 A5 A6 A7 A8 A9

A10

A11 A12 A13 A14 A15 A16 A17 A24

A18 A19 A20 A21 A22 A23

A25 A26 A27 A28 A29 A30 A31 A32 A33 A34

A35 A36

A37

A38 A39 A40 A41 A42 A43 A44 A45

A

B

B1 B2 B3 B4 B5 B6 B7 B8 B9 B10 B11 B12

B13 B14

B15 B16 B17 B18 B19 B20 B21 B22 B23 B24 B25

B26 B27 B28 B29 B30 B31 B32 B33 B34 B35 B36 B37

B47

B38 B39 B40 B41 B42 B43 B44 B45 B46 B48 B49 B50

C

C1 C2 C3 C4 C5 C6 C7 C8 C9 C11 C12 C13 C14

C10

C15 C16 C17 C18 C19 C20 C21 C22 C23 C24 C25 C26

C27 C28

C29 C30 C31 C32 C33 C34 C35 C36

C37 C38

D

D1 D2 D3 D4 D5 D6 D7 D8 D9 D10 D11 D12 D13

D14 D15 D16 D17 D18 D19 D20 D21 D22

D23 D24 D25 D26 D27

D28 D29 D30 D31

E

E1 E2 E3 E4 E5 E6 E7

E8 E9 E10

E11 E12 E13

E15 E16 E17 E18 E19

E20 E14

E21 E22 E23 E24 E25

E26

E27

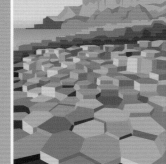

E

E28 E29 E30

F1 F2 F3 F4 F5 F6 F7 F8 F9 F10 F11

F12 F13 F14

F15 F16

F17

E31 E32 E33 E34 E35 E36 E37 E41 E42

F18

E38

E39 E40

F19

F20 F21 F22 F23 F24 **F** F29 F30 F31 F32 F33 F34 F35 F40 F41

F25

F26 F36 F37 F38 F39 F42 F44

F27 F28 F43 F45 F46

A1 A2 A3 A4 A5 A6 A7 A8 A9 A10 A11 A12 A13 A14 A15 A16

A17 A18 A19

A23 A24 A25 A26 A27 A28 A31 A32

A33

A20 A21 A22 A29 A30

B2 B3

A37 A38 A39 **A** A34

A35

B4 B5 B6 B7 B8

A36

B9 B10 B11 B12 B15 B16 B21

B **C** C1 C2 C3

B22

B23

B13 B14 B17 C4 C5 C6

B18 B19

B24

B20

B25 B26 B27 B28 B29 B30 B32 B33 B34 C7 C8 C9 C10 C11 C12

B31

B35

B36

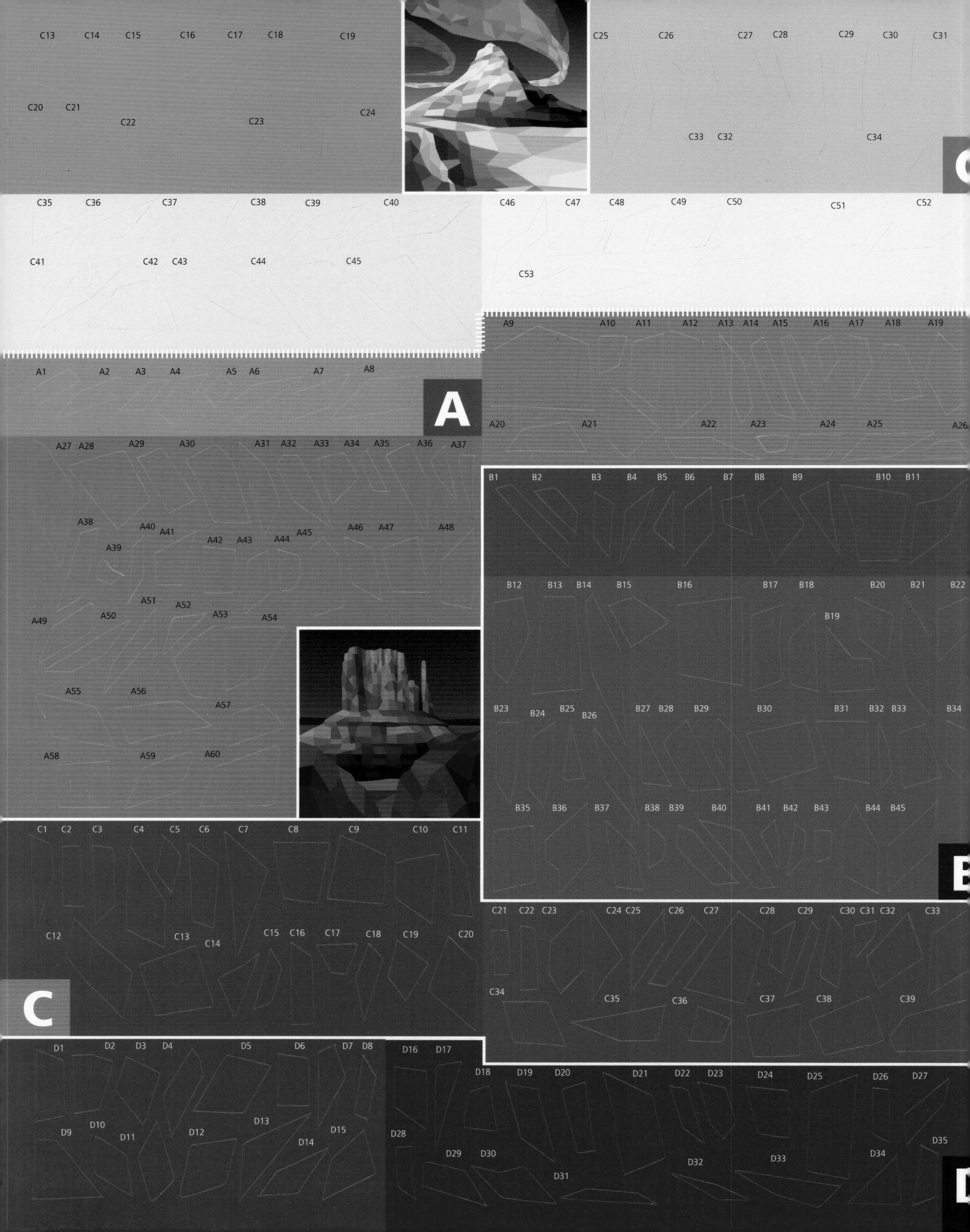

C13 C14 C15 C16 C17 C18 C19
C20 C21 C22 C23 C24
C25 C26 C27 C28 C29 C30 C31
C33 C32 C34
C
C35 C36 C37 C38 C39 C40
C41 C42 C43 C44 C45
C46 C47 C48 C49 C50 C51 C52
C53
A1 A2 A3 A4 A5 A6 A7 A8
A
A9 A10 A11 A12 A13 A14 A15 A16 A17 A18 A19
A20 A21 A22 A23 A24 A25 A26
A27 A28 A29 A30 A31 A32 A33 A34 A35 A36 A37
A38 A39 A40 A41 A42 A43 A44 A45 A46 A47 A48
A49 A50 A51 A52 A53 A54
A55 A56 A57
A58 A59 A60
B1 B2 B3 B4 B5 B6 B7 B8 B9 B10 B11
B12 B13 B14 B15 B16 B17 B18 B19 B20 B21 B22
B23 B24 B25 B26 B27 B28 B29 B30 B31 B32 B33 B34
B35 B36 B37 B38 B39 B40 B41 B42 B43 B44 B45
B
C1 C2 C3 C4 C5 C6 C7 C8 C9 C10 C11
C12 C13 C14 C15 C16 C17 C18 C19 C20
C
C21 C22 C23 C24 C25 C26 C27 C28 C29 C30 C31 C32 C33
C34 C35 C36 C37 C38 C39
D1 D2 D3 D4 D5 D6 D7 D8
D9 D10 D11 D12 D13 D14 D15
D16 D17 D18 D19 D20 D21 D22 D23 D24 D25 D26 D27
D28 D29 D30 D31 D32 D33 D34 D35
D

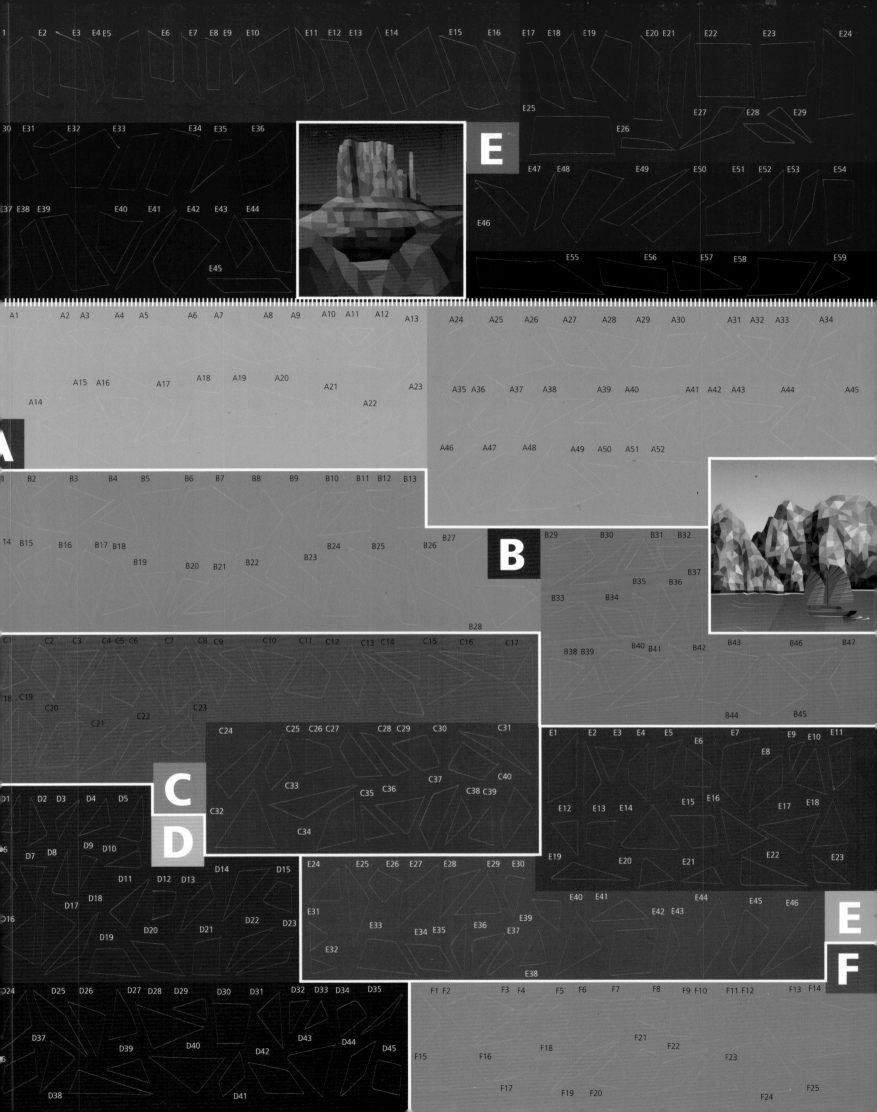

G1 G2 G3 G4 G5 G6 G7 G8 G9 G10 G11 G12 G13 G14 G15 G16 G17 G18 G19 G20 G21 G22

G24 G25 G26 G27 G28 G29 G30 G31 G32 G33 G34 G35 G36 G37 G38 G39 G40 G41 G42 G43 G44 G45 G46 G47

G49 G50

H1 H2 H3 H4 H5 H6 H7 H8 H9 H10 H11 H12 H13 H14 H15 H16 H17 H18

H19 H20 H21 H22 H23 H24 H25 H26 H27 H28 H29 H30

G

G48

H

H31 H32 H33 H34 H35 H36 H37 H38
H39 H40 H41 H42 H43 H44
H45 H46 H47 H48 H49 H50 H51
H52 H53 H54 H55 H56
H57 H58 H59 H60

A1 A2 A3 A4 A5 A6 A7 A8 A9 A10 A11 A12 A13
A14 A15 A16 A17 A18 A19

A20 A21 A22 A23 A24 A25 A26 A27 A28 A29 A30
A31 A32 A33 A34 A35 A36 A37 A38 A39 A40 A41 A42

A

B1 B2 B3 B4 B5
B6 B7 B8 B9 B10
B11 B12 B13
B14

B15 B16 B17 B18 B19 B20 B21 B22 B23 B24 B25
B26 B27 B28

B29 B30 B31 B32 B33
B34 B35 B36 B37 B38 B39 B40 B41 B42 B43 B44 B45

B

C1 C2 C3 C4 C5 C6 C7 C8 C9
C10 C11 C12 C13 C14 C15 C16 C17 C18 C19 C20 C21 C22
C23 C24 C25 C26 C27 C28 C29 C30 C31

C

C32 C33 C34 C35 C36 C37 C38 C39 C40 C41 C42 C51 C52 C53 C54 C55 C56 C57 C58

C50 C49 C46 C45 C48 C47 C44

D2 D3 D4 D7 D6 D5

D

C

C43 D1

D8 D9 D10 D11 D13 D15 D17 D19 D20

D12 D14 D16 D22 D24 D25 D26 D27 D28 D29

D18 D21

D23 D30 D31

D32 D33 D34 D35 D38 D39 D40 D44

D36 D37 D41 D42 D43

A1 A2 A3 A4

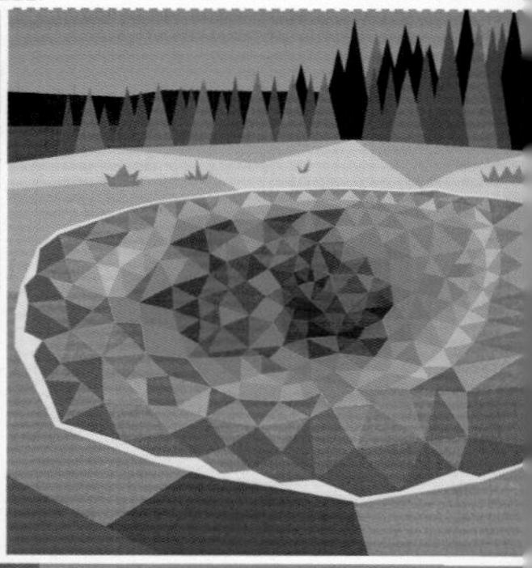

A5 A6 A7

A9 A10 A11 A12 A13 A14 A15 A16 A17 A18 A19 A20 A21

A28 A27 A29 A30 A31

A22 A23 A24 A25 A26

A8 A33 A36 A35 A34 A32

A37 A38 A39 A40 A41 A42 A43 A44 A45

B1 B2 B3 B4 B5 B6 B7 B8 B9

A48 A49 A50

B11 B12 B13 B14 A46 A47 A51

A53 A54 A55 A56

B

B10 A52 A58

B15 B16 B17 B18 B19 B20 B21 B22 B33 B34 B35 B36 B37 A57

A

B23 B24 B25 B26 B27 B28 B29 B30 B31 B32 B38 B39 B40 B41 B42 C22 C23 C24 C25 C26 C27 C28

C37 C38 C33 C34 C35 C36

C1 C2 C3 C4 C5 C6 C7 C8 C9 C10 C11 C29 C30 C31 C32

C39 C40 C41 C42 C43 C44 C45 C46 C47 C48

C12 C13 C14 C15 C16 C17 C18 C20 C21

C49 C50 C51 C52

C19

C

D E F A B C

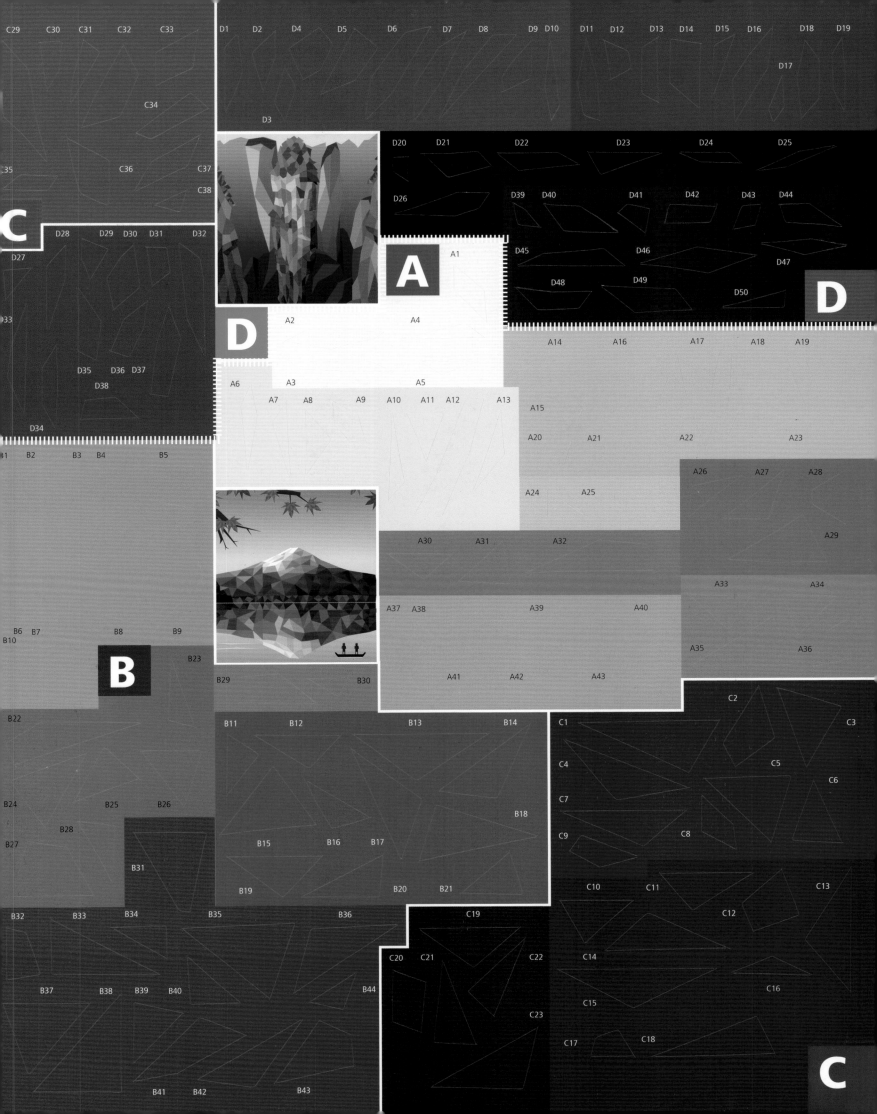

C

C24 C26 C28 C29 C30 C31 C32

C25

C27

C33 C34 C35 C36 C37 C38 C39 C40

C43

C41 C42 C44

C45

D

D1 D2

D3 D5

D4

D6 D7 D8

D9 D10 D11 D12

D13 D14 D15

D16 D17 D18 D19

D20 D21 D22 D23

D24 D25 D26 D27 D28 D29

D30 D31 D32 D33

D34 D35 D36 D37

E

E1 E2

E3 E4 E5

E6 E7 E8

E9 E10

E11 E12 E13 E14 E15 E16

E17 E18 E19 E20 E21 E22

E23 E24 E25 E26 E27 E28 E29

E30 E31 E32 E33 E34 E35 E36

E37 E38 E39 E40 E41 E42 E43

E44 E45 E46 E47 E48 E49 E50

F

F1 F2 F3 F4 F5

F6 F7 F8

F9 F10 F11 F12 F13 F14 F15

F16 F17 F18 F19 F20 F21 F22 F23 F24 F25

F26 F27

F28 F29 F30

A

A1 A2 A3 A4 A5 A6 A7

A8 A9 A11

A10 A12

A13 A14 A15

A16 A17

A18 A19

A20 A21 A22 A23 A24 A25 A26 A27 A28 A29 A30 A31 A32 A33 A34 A35 A36

A A37 A38 B1 B2 B3 B4 B5 B6 B7 B8 B9 B10 B11 B

A39 A40

A41 A42 B12 B13 B14 B15 B16 B17 B18 B19

A44 B22 B23 B24

43 B25 B28

B20 B21 B26 B27

C C1 B29 B30

C3 C4 B31 B34 B35 B36 B37 B38 B39

C6 B33

B32

5 B40 B41 B42 B43 B44 B45 B46 B47

7 C9 C10 B48

C8 C11 C12 C13

C14 B49 B50 B51

C15 C16 C17 D1 D2 D3 D4

18 C19 C20 C21 C22 C23 C24 D5 D6 D8 D9 D10 D11

C27 D7

25 C26 C28 D12 D13

29 D38 D39 D D14 D15 D16 D17 D18 D19 D20 D21 D22

D23

40 D41 D42 D29 D30

43 D44 D45 D46 D47 D48 D31

D28

49 E8 E9

24 E25 E26 E27 E28 E D24 D25 D26 D27 D32 D33 D34 D35 D36 D37 E7 E10

E30 E31 E32 E1 E2 E3 E4 E5 E6

E29 E16 E17

E33 E34 E35 E36 E37 E13 E15

E40 E41 E42 E43 E11 E12 E14

E38 E39 E18 E19

E44 E45 E46 E20 E21

E54 E22 E23

E47 E48 E49 E50 E51 E52 E53 E55 E56

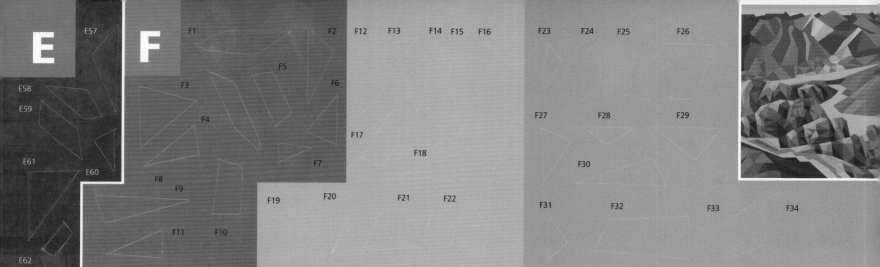
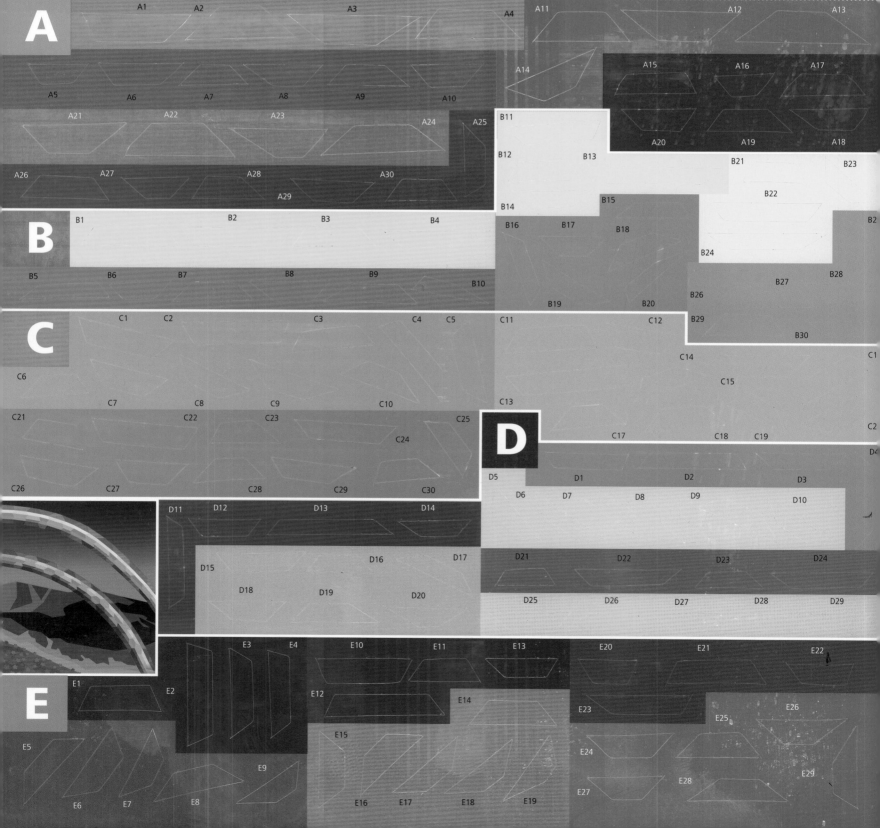

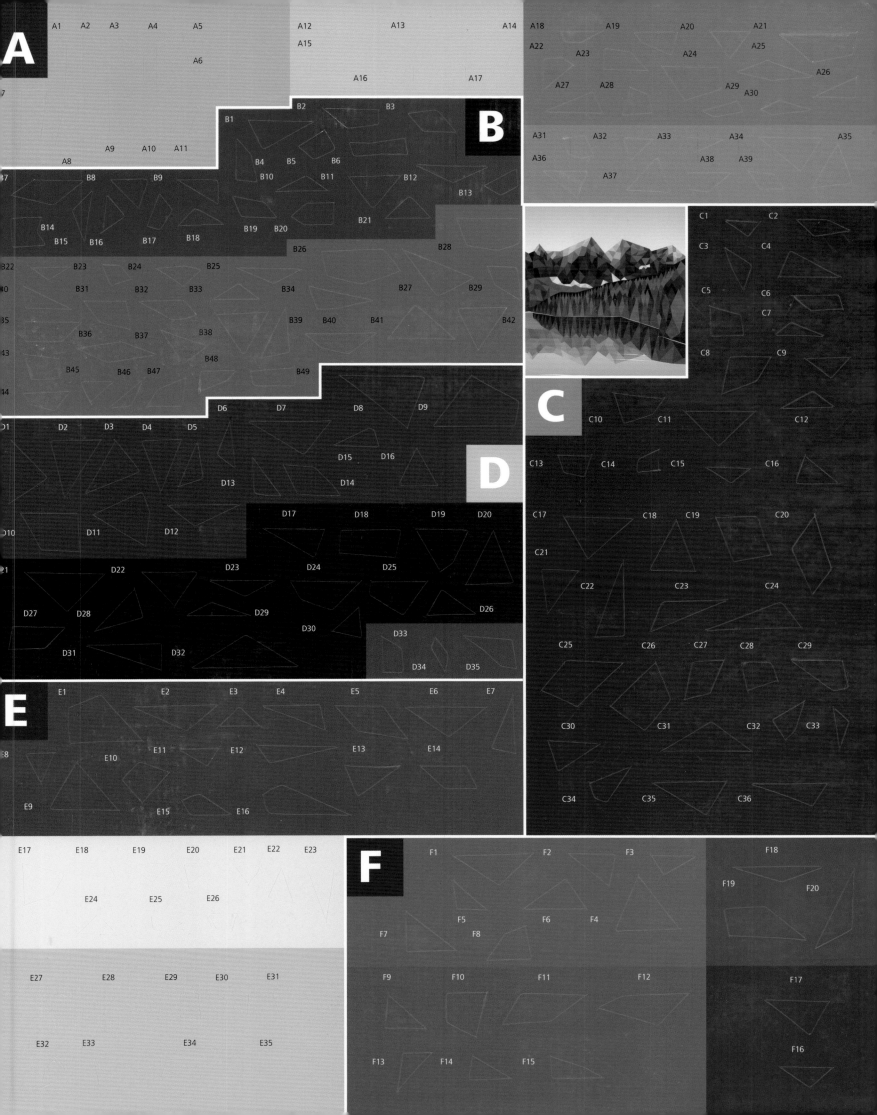

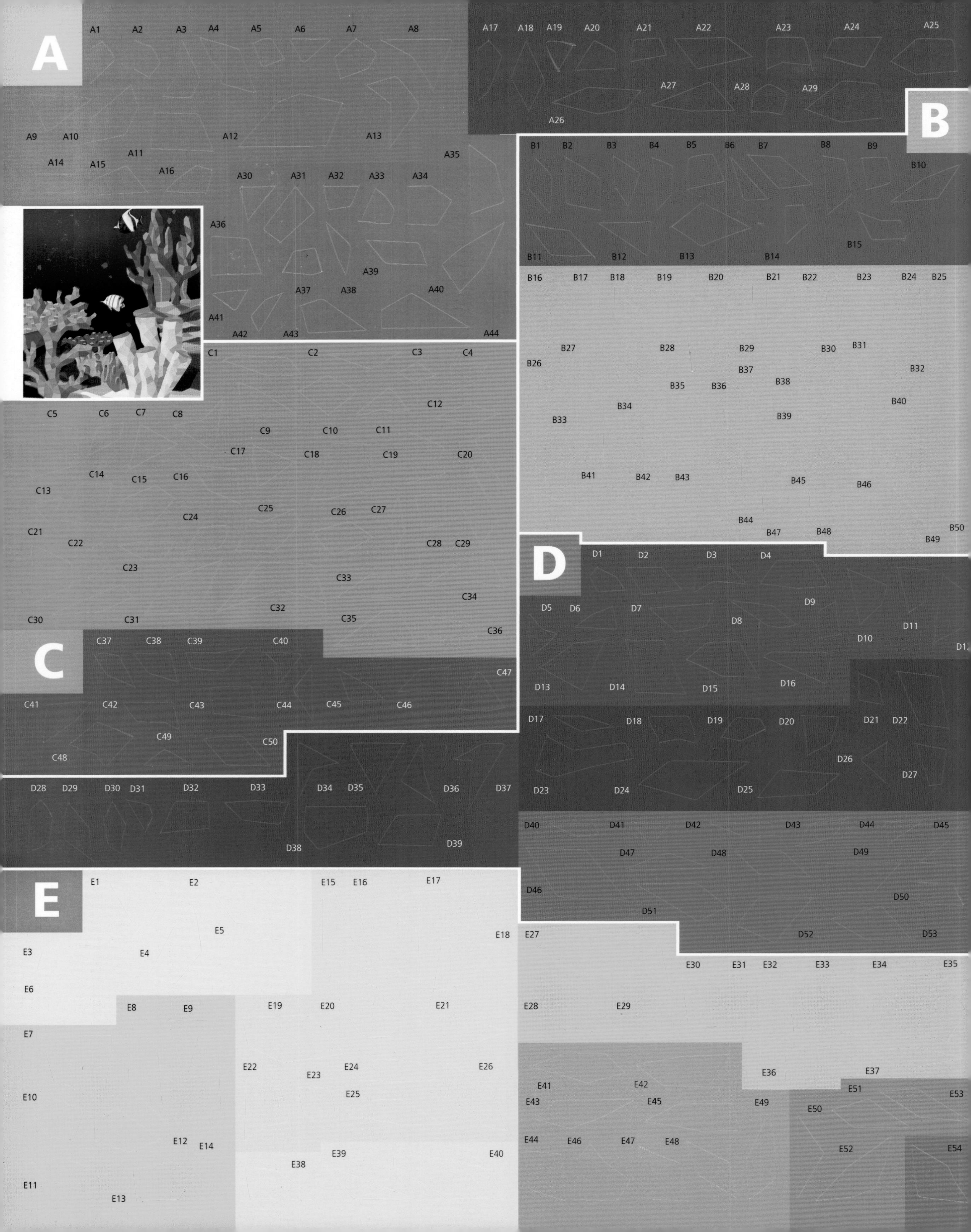
A
A1 A2 A3 A4 A5 A6 A7 A8
A9 A10 A11 A12 A13 A14 A15 A16
A17 A18 A19 A20 A21 A22 A23 A24 A25
A26 A27 A28 A29
A30 A31 A32 A33 A34 A35 A36 A37 A38 A39 A40 A41 A42 A43 A44
B
B1 B2 B3 B4 B5 B6 B7 B8 B9 B10
B11 B12 B13 B14 B15
B16 B17 B18 B19 B20 B21 B22 B23 B24 B25
B26 B27 B28 B29 B30 B31 B32 B33 B34 B35 B36 B37 B38 B39 B40
B41 B42 B43 B44 B45 B46 B47 B48 B49 B50
C
C1 C2 C3 C4 C5 C6 C7 C8 C9 C10 C11 C12
C13 C14 C15 C16 C17 C18 C19 C20
C21 C22 C23 C24 C25 C26 C27 C28 C29
C30 C31 C32 C33 C34 C35 C36
C37 C38 C39 C40 C41 C42 C43 C44 C45 C46 C47 C48 C49 C50
D
D1 D2 D3 D4 D5 D6 D7 D8 D9 D10 D11
D13 D14 D15 D16 D17 D18 D19 D20 D21 D22
D23 D24 D25 D26 D27
D28 D29 D30 D31 D32 D33 D34 D35 D36 D37 D38 D39
D40 D41 D42 D43 D44 D45 D46 D47 D48 D49 D50 D51 D52 D53
E
E1 E2 E3 E4 E5 E6 E7 E8 E9 E10 E11 E12 E13 E14
E15 E16 E17 E18 E19 E20 E21 E22 E23 E24 E25 E26
E27 E28 E29 E30 E31 E32 E33 E34 E35 E36 E37
E38 E39 E40
E41 E42 E43 E44 E45 E46 E47 E48 E49 E50 E51 E52 E53 E54

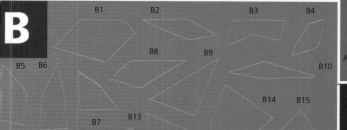

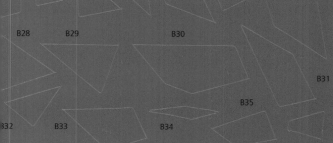

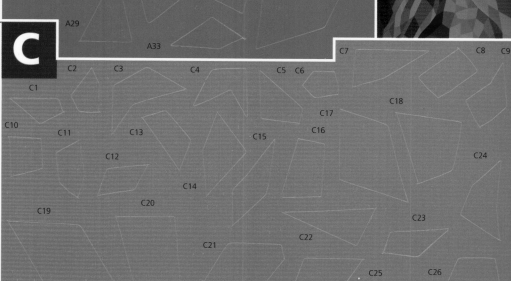
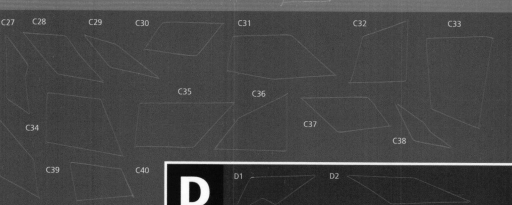

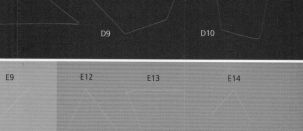

A

A1 A2 A3 A4 A5 A6 A7 A8 A9 A10 A11
A13 A15 A16 A18 A19 A20 A27
A17 A21 A22 A23 A24 A25 A26
A14 A28 A30 A31 A32
A29 A33
2

B

B1 B2 B3 B4
B8 B9 B10
B5 B6
B14 B15
B7 B13
B11 B12
B18
B17
16
B19 B20
21 B22 B23 B24 B25 B26 B27
B28 B29 B30
B31
B32 B33 B34 B35
B36

C

C2 C3 C4 C5 C6 C7 C8 C9
C1 C18
C17
C10 C11 C13 C15 C16
C12 C24
C14
C20 C23
C19 C22
C21 C25 C26
C27 C28 C29 C30 C31 C32 C33
C35 C36
C34 C37
C38
C39 C40

D

D11 D12 D13 D14 D1 D2
D18 D3 D5
D15 D16 D17 D4
D19 D20 D6 D7 D8
D24
D21 D22 D23 D9 D10

E

E2 E3 E5 E8 E9 E12 E13 E14
E6
E1 E7
E15 E16
E4
E10 E11